Elsa Canestro

EXPERIMENTOS
con la luz

CIENCIA Y TECNOLOGÍA

Coordinación: Florencia Nizzoli

Edición: Cecilia Repetti

Asistente de edición: Guadalupe Rodríguez

Dirección de arte: María Laura Martínez

Ilustración: Emi Ordás (tapa), Adrián Borlasca (interior)

EXPERIMENTOS CON LA LUZ
1ª edición - 4000 ejemplares
Impreso en grafica MPS S.R.L.
Santiago del Estero 338 - Lanús Oeste
Impreso en la Argentina
20 de febrero de 2009

Copyright © 2009 by EDITORIAL ALBATROS SACI
J. Salguero 2745 5.º - 51 (1425)
Buenos Aires - República Argentina
E-mail: info@albatros.com.ar
www.albatros.com.ar

I. S. B. N. 978-950-24-1247-4

Canestro, Elsa T.
Experimentos con la luz / Elsa T. Canestro ; ilustrado por Emiliano Ordás. - 1a ed. - Buenos Aires : Albatros, 2008.

96 p. : il. ; 21x26 cm. - (Taller de ciencias)

ISBN 978-950-24-1247-4

1. Ciencias. I. Ordás, Emiliano, ilus. II. Título

CDD 500

Elsa Canestro

EXPERIMENTOS con la luz

CIENCIA Y TECNOLOGÍA

Prólogo

Sobre la ciencia y la tecnología

La **ciencia** es la actividad por la cual las personas tratan de entender la naturaleza. Por otra parte, la *tecnología* es el conjunto de cosas prácticas que el ser humano logra hacer para usar la naturaleza según sus necesidades o deseos. Sin embargo, hoy en día, estamos acostumbrados a ver siempre juntas ambas palabras —"ciencia y tecnología"—; así, lo que queremos decir es que hay que entender cómo funcionan las cosas de la naturaleza antes de poder usarlas para nuestros fines.

Sin embargo, también es cierto que la curiosidad y el espíritu inquieto de las personas siempre las llevaron a probar primero, a ensayar, y a usar aquellas cosas del entorno antes de tener todos los conocimientos necesarios para entender su funcionamiento. Además, los seres humanos tratan de comprender lo que más les interesa, y, en principio, lo que más les llama la atención es lo que pueden usar "tecnológicamente".

Acerca de este libro

Si te preguntan qué es la luz, seguramente se te ocurrirán respuestas parecidas a las que me han dado algunos chicos: es algo que "viene del sol"; "nos alumbra"; "nos permite ver las cosas, los colores y las sombras"; "a veces nos engaña haciéndonos ver las cosas como no son"; "tiene energía"; "es lo más rápido que existe"; "sirve para jugar y para sacar fotografías". En este libro, encontrarás la respuesta a través de una serie de experimentos sobre tecnología de la luz. Con ellas comprobarás, no sólo que las afirmaciones anteriores son ciertas, sino que trabajar con la ciencia y la tecnología de la luz y entender sus principios es sencillo y fascinante.

Como esta área presenta tantos y tan interesantes fenómenos, hemos elegido aquellos que más les han gustado a los chicos y a los adolescentes que concurren a nuestro Taller de Ciencias.

Algunos son muy sencillos de realizar; otros, como hacer fotografías, requieren mayores cuidados, pero en todos ellos las precauciones están debidamente indicadas.

El libro indaga a partir de experiencias introductorias a la naturaleza de la luz, luego experimenta con las propiedades de los rayos luminosos y la falta de luz, o sea, las sombras, continúa con la comprobación de lo que ocurre con la geometría de la luz, y luego con la diversidad de experiencias que pueden hacerse cuando rebota con los espejos o cuando jugamos con los colores. A continuación, nos detendremos a analizar cómo vemos los engaños que surgen del fenómeno de la visión. Finalmente, proponemos construir una cámara fotográfica y tomar fotografías con ella.

Deseamos que todos aquellos que participen en estas actividades entiendan el porqué de los fenómenos en los que se basa la tecnología de la luz de una manera placentera y entretenida, ya sea que las realicen solos o junto con familiares, compañeros o amigos.

Elsa Canestro

Qué es la luz

La luz es algo tan cotidiano... está tan a nuestro alcance y es tan sencillo abrir una ventana o accionar una perilla cada vez que necesitamos luz, que no se nos ocurre comúnmente preguntarnos qué es y cómo se comporta.

La luz no se toca, no se huele, no se escucha ni se saborea, pero sin ella la vida no sería posible. Es una forma de energía que permite a las plantas y a los animales desarrollar procesos para obtener energía. Los seres humanos, además, hemos aprendido a utilizarla para alcanzar una mejor forma de vida.

La energía de la luz es tan especial que es capaz de viajar a través del vacío, donde no hay ningún material, ni siquiera el aire; y no sólo eso, sino que lo hace a la increíble velocidad de... ¡300.000 kilómetros en un segundo! De hecho, no hay nada que viaje más rápido que la luz y, de acuerdo con lo que opina la ciencia desde que esta afirmación fue postulada por Albert Einstein, no puede haber nada que lo haga.

Pregunta

Si el Sol dista 150.000.000 de kilómetros de la Tierra, calcula cuánto tarda la luz en llegar hasta nosotros.

Respuesta: 480 segundos, es decir 8 minutos.

La luz es maravillosa y familiar, y se pueden realizar muchas experiencias sencillas e interesantes con ella, pero ha sido difícil entender su naturaleza profunda.

A principios del siglo xx, existían dos teorías sobre la naturaleza de la luz. Una postulaba que la luz estaba formada por ondas que salían de las fuentes de luz, como las ondas que nacen en el agua cuando un objeto cae. Y, según la otra, esas fuentes emitían pequeñas partículas de luz como si se tratara de un finísimo polvo luminoso.

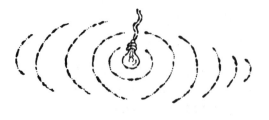

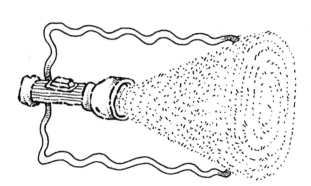

¿Cómo se produce la luz?

Para entrar en tema, comencemos por realizar una sencilla experiencia. Frota enérgicamente tus manos una contra la otra. ¿Qué sientes? ¿Se calientan?

Cuando se da energía a los cuerpos, estos la devuelven en parte en forma de calor. Pero si la cantidad de energía entregada es muy grande, la devolución es no sólo como calor sino también como luz y, por ello, la luz y el calor están generalmente asociados.

Piensa en lo que ocurre cuando se calienta un trozo de metal (¡ojo!, no vayas a intentarlo porque es peligroso). Al principio, sólo se diferencia de otro trozo de metal en que emite calor, pero si se lo sigue calentando, se pone rojo y finalmente blanco y emite luz. Así sucede con el filamento de las lámparas eléctricas comunes, que emite luz porque la corriente eléctrica que pasa por él lo calienta a muy alta temperatura.

La lamparita transforma energía eléctrica en energía luminosa (luz); la vela produce luz a partir de la energía química del material de la vela al quemarse; pero sin duda, nuestra fuente más importante de luz es el Sol.

Una vela de color

Aquí tienes una receta para fabricar tu propia fuente de luz.

Qué necesitas

Trozo de parafina de aproximadamente 3 x 3 x 3 cm

1 cm de crayón de color

Trozo de hilo de algodón, no muy delgado, de unos 10 a 12 cm

Tacita de café, un envase metálico de medicamentos u otro molde similar

Platito de café o la tapa metálica de una lata de leche, por ejemplo

Jarro de metal

Olla pequeña de boca ancha

Mechero

Lápiz

Tijera

Qué hacer

Comencemos preparando el molde y la mecha.

1. Realiza un nudo en un extremo del hilo y ata el otro extremo en la mitad del lápiz.

2. Coloca el conjunto sobre el borde de la taza, como indica la figura.

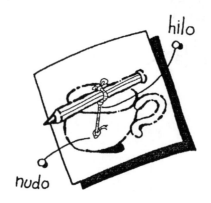

3. Coloca la parafina y el crayón dentro del jarro y pídele a una persona mayor que te ayude a calentarlo hasta que ambos elementos se fundan.

4. Apaga el mechero y espera unos minutos para que se entibie.

5. Vierte lentamente la parafina coloreada y aún líquida sobre el envase preparado. Asegúrate de que el hilo quede centrado.

6. Coloca el conjunto en un lugar donde no se vuelque y pueda enfriarse lentamente.

7. Al día siguiente, coloca agua dentro de la olla de manera que su nivel no sobre pase la altura de la taza que contiene la vela, como indica la segunda figura.

8. Retira la taza y pídele a una persona mayor que ponga el agua a calentar.

9. Cuando esté por hervir o hirviendo, apaga el mechero e introduce cuidadosamente el molde en el agua caliente, cuidando de que no haya agua sobre la vela.

10. Luego de un minuto, tira del hilo y la vela se desprenderá del molde. Colócala rápidamente sobre el platito de café.

11. Corta el exceso de hilo y... ¡ya tienes lista tu fuente de luz!

12. Perfecciona la técnica tanto como puedas y podrás fabricar velas para regalar a tus familiares en las próximas fiestas.

Rayos luminosos

Las direcciones de la luz

¿Qué camino recorre la luz desde que parte del Sol hasta que llega a la Tierra?

Basta que observes el camino recorrido por un rayo de luz que sale detrás de una nube o el que entra por la ventana de tu cuarto para darte cuenta de que la luz viaja en línea recta y no da vueltas.

¿Están alineados los árboles?

La propuesta de este experimento es utilizar la propiedad de la luz de propagarse en línea recta para comprobar si los árboles de la vereda están alineados.

Qué necesitas

Cualquier sitio al aire libre donde haya árboles, puede ser en la vereda o en un espacio más amplio.

Qué hacer

1. Párate cerca del primer árbol del lugar en el que te encuentres.

2. Acerca tu cara al tronco, cierra un ojo.

3. Mira con el otro ojo en dirección a los demás árboles.

QUÉ SUCEDE

Si están alineados, el tronco del primero te impedirá ver los demás, pues, como la luz reflejada por cada árbol se propaga en línea recta, para que tu ojo la vea no tiene que haber nada interpuesto entre él y tú. En cambio, si algún tronco está fuera de línea o es más ancho que el resto, verás esas partes sin dificultad.

Este experimento lo puedes continuar con las columnas del alumbrado o con los frentes de los edificios. En este último caso, puede haber una construcción antigua en la que el suelo haya cedido y esté inclinada. Si esta es la situación, no camines cerca de ella, sobre todo si la inclinación es hacia la calle.

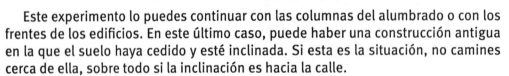

La luz y los objetos

Cada rayo luminoso es como un hilo de luz bien recto hasta que choca con algo en el camino. Entonces, todo depende del tipo de objeto encontrado. Examinémoslo.

Qué necesitas

Envases (limpios) de distintos materiales como vidrio, cartón, papel, polietileno, tela, latón, cerámica, madera, etc.

Linterna chica

Lápiz

Papel

Habitación que se pueda oscurecer

Qué hacer

1. Reúne los distintos envases.

2. Ubica la linterna sobre un estante o una mesa.

3. Oscurece la habitación.

4. Enciende la linterna e interpone entre ella y tu vista (a unos 10 cm de la linterna y a unos 30 cm de tu ojo) uno a uno los objetos que has recolectado.

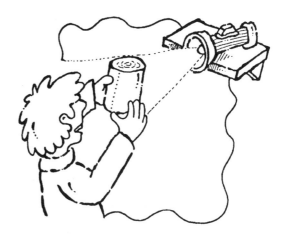

5. Mientras realizas esto, completa el siguiente cuadro indicando cuánta luz has podido ver a través de cada uno de los materiales.

DEJAN PASAR CASI TODA LA LUZ	DEJAN PASAR ALGO DE LUZ	NO DEJAN PASAR NADA DE LUZ
Vidrio	Papel blanco	Cartón
Papel celofán	Vidrio esmerilado	Madera

QUÉ SUCEDE

Según su comportamiento frente a la luz, los objetos se clasifican en **transparentes, traslúcidos y opacos**. Son transparentes los que dejan pasar la luz, como el vidrio y el papel celofán; traslúcidos los que dejan pasar algo de luz, como el papel blanco y el vidrio esmerilado; y opacos los que no la dejan pasar, como el cartón o la madera.

Pregunta

¿Por qué se colocan distintos tipos de vidrio a las ventanas o distintos tipos de cortinas delante de ellas?

Respuesta: porque según sea la finalidad del cuarto, en las ventanas se podrán colocar vidrios o cortinas transparentes, translúcidas u opacas.

¡Sombra!

¿Qué son las sombras? Comprobémoslo.

Qué necesitas

Linterna

Mesa

Varios objetos, como tijera, lápiz, botón, muñeco, etc.

Hoja de papel blanco

Habitación que se pueda oscurecer

Qué hacer

1. Ubica el papel sobre la mesa.

2. Coloca la linterna en forma vertical directamente sobre el papel blanco. Enciéndela y observa cómo incide la luz sobre él.

3. Interpone entre ellos tu mano y luego cada uno de los objetos que has reunido.

QUÉ SUCEDE

Sin duda observas las sombras de una mano, una tijera, etc. Esto ocurre porque los objetos que has interpuesto son opacos y la luz no los puede atravesar. Precisamente, la sombra se forma en aquellos lugares donde no llega la luz.

Cuando un obstáculo se interpone entre la fuente de luz y la superficie sobre la cual incide, se forma la sombra y, como la luz se propaga en línea recta, la sombra siempre tiene una forma semejante a la del perfil del objeto que la produce.

Esta propiedad de las sombras tiene aplicaciones divertidas, alguna de las cuales te proponemos a continuación.

Sombras chinescas

Este tradicional entretenimiento consiste en hacer sombras que imiten a animales usando solamente las manos. Intenta con las tuyas.

Qué necesitas

Habitación que se pueda oscurecer con una superficie donde proyectar

Lámpara o linterna potente

Qué hacer

1. Enciende la lámpara o la linterna y dirígela hacia la superficie a proyectar.

2. Coloca las manos delante del foco de luz y a una distancia de unos 50 cm de la pared mientras ensayas a ver qué animal puedes hacer. Aquí te damos algunos ejemplos.

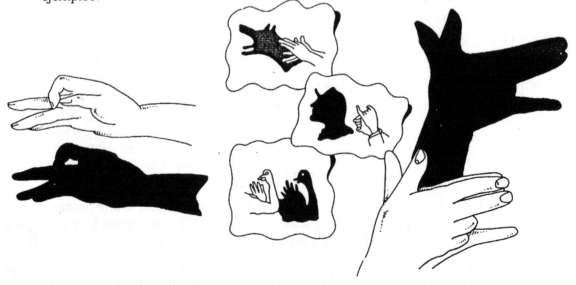

3. Una vez logradas las posturas adecuadas, puedes enriquecer tu juego con movimiento y sonido. Por ejemplo, el perro puede jadear, girar las orejas, ladrar y aun jugar con la paloma.

Hoy actúan las sombras

Otro clásico: el teatro de sombras.

Qué necesitas

Linterna o lámpara potente

Habitación que se pueda oscurecer con una pared donde proyectar

Lápiz

Tijera

Trozos de cartón

Cinta adhesiva

Bolígrafos o lápices en desuso

Uno o más amigos

Qué hacer

1. Elijan o inventen un cuento o una historieta para representar (a veces a uno no se le ocurren cuentos o historietas. En ese caso, construyan primero los personajes y, cuando proyectan las sombras sobre la pared, seguro que sabrán qué tienen que hacer y decir).

2. Sobre los cartones dibujen y recorten la forma de los personajes del cuento.

Ayuda 1: si al recortarlos, el cartón se quiebra o se rompe, como suele pasar, no se desesperen. Unan las partes rotas con cinta adhesiva, ya que luego, en la sombra, el arreglo no se notará.

Ayuda 2: los ojos perforados quedan muy bien y se hacen fácilmente con una perforadora de papel.

3. Peguen los personajes a un extremo de los tubos de bolígrafo, como indica la figura.

4. Cuando estén todos listos, enciendan la linterna y ensayen la representación. Es divertido y además surgirán muchas ideas para mejorar los personajes, la obra y la puesta en escena.

5. Luego, si la función tuvo éxito, pueden intentar otra más compleja donde ustedes y sus propias sombras sean los actores.

El tamaño de las sombras

De esta experiencia, podrás realizar tres variantes.

A. Según la posición del objeto

Qué necesitas

Fuente de luz (lo mejor es una linterna potente)

Habitación que se pueda oscurecer con una pared para proyectar

Qué hacer

1. Ubica la fuente de luz sobre un mueble u otro lugar conveniente, de modo que la luz incida de frente sobre la pared elegida. Enciéndela y oscurece la habitación.

2. Colócate entre la luz y la pantalla. Busca un lugar donde pararte, de modo que tu sombra sea de gran tamaño.

¿ QUÉ SUCEDE ?

Cuanto más te acercas a la fuente, más grande es tu sombra. ¿Lo has notado?

Esto se explica porque los rayos de luz que salen de la linterna lo hacen en todas direcciones desde su filamento. Por lo tanto, cuanto más cerca estás de la linterna, más rayos de luz interceptas y mayor es el tamaño de tu sombra.

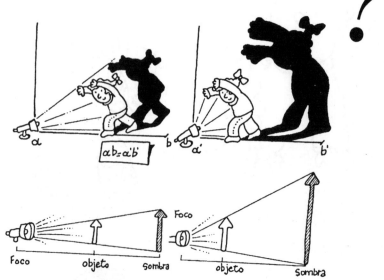

B. Según la ubicación de la pantalla

Qué hacer

1. Coloca la linterna en el extremo de la mesa y enciéndela.

2. Ubica el bloque o el muñeco delante de ella.

3. Busca la sombra sobre la pantalla.

4. Acerca y aleja la pantalla mientras observas cómo cambia el tamaño de la sombra.

5. Ahora, sin cambiar las distancias, cambia la inclinación de la pantalla, observa cómo es la sombra cuando la pantalla está derecha, es decir, perpendicular a los rayos de luz, y cómo va cambiando cuando inclinas la pantalla.

C. Según la posición de la fuente de luz

Qué necesitas

Los elementos de la variante anterior

Trozo de papel blanco

Qué hacer

1. Ubica el muñeco en el centro del papel blanco, sobre la mesa.

2. Imagina cómo será la forma de la sombra del muñeco cuando lo alumbres desde arriba o desde los costados, con distintas posiciones de la linterna. Dibuja por lo menos tres ejemplos de cómo piensas que será la sombra.

3. Ahora enciende la linterna y comprueba si acertaste en tus suposiciones.

¿ QUÉ SUCEDE ?

Esto es lo que ocurre con nuestra sombra a lo largo del día, a medida que la Tierra va rotando alrededor del Sol.

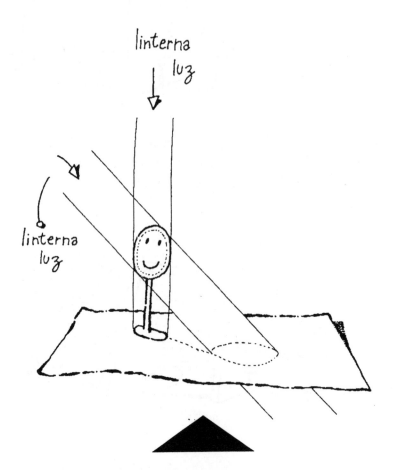

Un reloj de sol

Como los romanos, tú también puedes hacer un reloj de este tipo.

Qué necesitas

2 trozos de cartón de 20 x 20 cm

Transportador

Compás

Lápiz

Tijera

Cinta adhesiva

Qué hacer

1. Toma una de las piezas de cartón y dibuja las diagonales de modo que se corten en el centro.

2. Apoya el compás en el centro del cartón y traza un círculo de 9 cm de diámetro, como indica la figura.

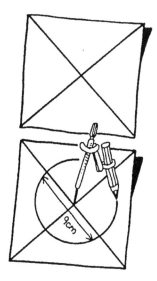

3. Divide el círculo en dos y en una de las mitades realiza doce marcas equidistantes. Es sencillo si te ayudas con el transportador haciendo una marca cada 15°. Cada marca representa una hora. Numéralas como indica la figura.

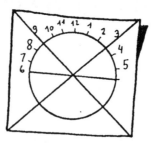

4. Toma ahora el otro trozo de cartón para hacer el marcador triangular, llamado gnomo (en griego significa 'aquel que sabe').

5. Para trabajar correctamente, hay que darle al gnomo un ángulo que coincida con la latitud del lugar en que vives. Para ello, consulta la tabla de latitudes que aparece más abajo (o un atlas geográfico). Anota el valor de la latitud (en Buenos Aires y sus cercanías la latitud es de 35°).

6. Comienza trazando en el segundo cartón una línea de 8 cm de longitud, cerca de una esquina, paralela a uno de los lados, y a unos 2 cm de este. Esta será la base del gnomo.

7. Apoya el transportador sobre el extremo de esta base más cercano a la esquina del cartón y marca el ángulo correspondiente a la latitud.

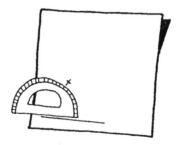

8. Traza una línea de 20 cm de longitud, desde el extremo exterior de la base, que pase por la marca que acabas de hacer. Finalmente, une el otro extremo de la base y el extremo de esta línea. Debe quedar como en la figura.

9. Recorta el gnomo, dejando una solapa con un corte en el centro (como se muestra con línea en la figura anterior).

10. Dobla la solapa, una parte para cada lado, y pega el gnomo con cinta adhesiva sobre la línea central del dial, como en la figura.

11. Coloca el reloj en algún lugar soleado (al aire libre o cerca de un ventanal bien orientado), sobre una superficie plana y cuidando que la punta del gnomo señale al Norte.

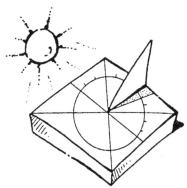

12. Fíjate que la posición de la sombra sobre el dial te indica la hora. Con líneas más cortas, puedes marcar las medias horas.

13. Controla tu reloj de sol con un reloj corriente.

QUÉ SUCEDE

Como habrás podido apreciar, un reloj de sol prolijamente construido es bastante exacto. Quizá quieras hacer, con la ayuda de un mayor, otro reloj con materiales más resistentes para dejarlo permanentemente en el jardín.

La próxima vez que salgas de campamento, puedes llevar un transportador y, sobre la tierra y usando un palito como gnomo, construir un reloj que no se quedará sin pilas.

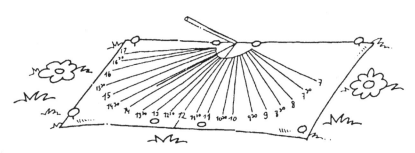

TABLA DE LATITUDES

CIUDAD	LATITUD
Lima (Perú)	12
Sucre (Bolivia)	19
Santos (Brasil)	24
Corrientes (Argentina)	28
Porto Alegre (Brasil)	30
Córdoba (Argentina)	31
Mendoza (Argentina)	33
Santiago de Chile (Chile)	33
La Plata (Argentina)	35
Montevideo (Uruguay)	35
Mar del Plata (Argentina)	38
Comodoro Rivadavia (Argentina)	46
Santa Cruz (Argentina)	50
Río Grande (Brasil)	54

Para saber más

Sombras gigantescas

Mira la Luna en el cielo esta noche. La parte que falta no se ve, porque a ella no le llega la luz del Sol. Si pudieras ver la Tierra desde el espacio, también verías solamente la parte iluminada por el Sol (la zona donde es de día). La noche es la inmensa sombra de la Tierra sobre sí misma.

Cuando el Sol, la Tierra y la Luna están colocados en el espacio de una forma determinada, puede suceder que la sombra de la Tierra impida que la luz del Sol caiga sobre la Luna. Llamamos a esto un eclipse de Luna.

También puede suceder que la Luna impida que la luz del Sol caiga sobre la Tierra. Este es un eclipse de Sol.

Sin embargo, como puedes ver en la figura, el Sol es muy grande y la Luna es muy pequeña. Como resultado, se proyecta sobre la Tierra una zona de sombra relativamente pequeña (eclipse total = sombra) y una más amplia donde sólo llega una parte de la luz del Sol (eclipse parcial = penumbra).

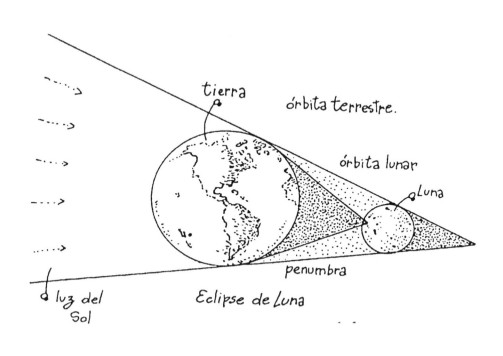

tierra

órbita terrestre.

órbita lunar

Luna

penumbra

luz del Sol

Eclipse de Luna

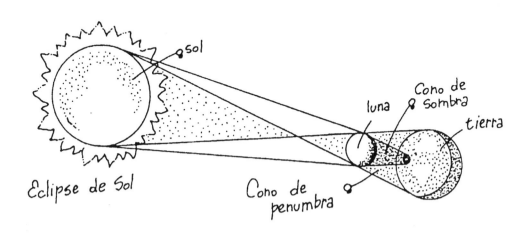

sol

luna

Cono de Sombra

tierra

Eclipse de Sol

Cono de penumbra

Modelo de eclipse de Sol

A continuación, te proponemos construir un modelo a escala de la interposición de la Luna entre el Sol y la Tierra.

Qué necesitas

Proyector de diapositivas o linterna

50 cm de hilo de coser fino

Bolita de telgopor de unos 2 cm de diámetro

Pared para proyectar. Si tienes un planisferio, colócalo sobre la pared. Si tienes un globo terráqueo, ubícalo sobre una mesa cerca de la pared. De esta manera podrás "ver" el eclipse sobre el mapa de la Tierra.

Qué hacer

1. Pega con cinta adhesiva un extremo del hilo a la pelotita. Imagínate que esta es la Luna.

2. Ubica la linterna o el proyector (el Sol) de manera que su luz esté dirigida hacia la pared o planisferio (la Tierra).

3. Oscurece la habitación.

4. Sosteniendo la pelotita por el extremo del hilo, colócala a corta distancia de la pared. Debes observar una zona de sombra y una de penumbra, como indica la figura.

Cuando la Luna tapa al Sol

A veces no se entiende cómo la Luna, siendo tan pequeña, puede ocultar al Sol. Realiza la siguiente experiencia, para comprenderlo mejor.

Qué necesitas

Lápiz o lapicera común de fibra u otro elemento que tenga un diámetro de aproximadamente 1/2 cm (5 mm)

Habilidad de saber cerrar un solo ojo

Lugar desde donde puedas mirar a lo lejos, como una ventana alta o un parque abierto

Qué hacer

1. Con un ojo cerrado, sostiene el lápiz horizontalmente a unos 50 cm de distancia (aproximadamente, tu brazo extendido casi en su totalidad) frente al otro ojo.

2. Tapa con el lápiz alguna casa, edificio o persona que esté aproximadamente a 200 m (dos cuadras) de distancia.

3. Fíjate qué altura tapa el diámetro del lápiz.

QUÉ SUCEDE

Observarás que puedes tapar casi 2 m de altura, un poco más que la altura de una persona (1,60 a 1,80 m, aproximadamente) y un poco menos que la altura de un piso de edificación moderna (2,50 a 2,80 m).

Así como el ancho de un lápiz puede ocultar gran parte de un piso, porque el pequeño lápiz está cerca de tu ojo, mientras que el piso está lejos, también la Luna, pequeña y cercana a la Tierra, puede tapar el Sol.

Si la distancia entre la Tierra y la Luna fuera como la distancia entre tu ojo y el lápiz, el Sol tendría 2 m de diámetro y estaría a unas 2 cuadras de distancia. La Tierra sería una bolita de menos de 2 cm de diámetro.

Como puedes ver, la mayoría de los dibujos que conoces del sistema solar y de los eclipses no son muy parecidos a la realidad. La Tierra, la Luna y el Sol están mucho más lejos entre sí y el Sol es mucho más grande de lo que suele dibujarse.

Podrás encontrar los valores de distancias y diámetros aproximados en el siguiente cuadro.

Diámetro del Sol	1.400.000 kilómetros
Diámetro de la Tierra	12.800 kilómetros
Diámetro de la Luna	3.480 kilómetros
Distancia de la Tierra al Sol	150.000.000 kilómetros
Distancia de la Tierra a la Luna	384.400 kilómetros

Pregunta

¿Solamente en nuestro planeta se producen eclipses?

Respuesta: los eclipses se producen en todo el sistema solar, sólo hacen falta un astro como el Sol y planetas con satélites colocados en órbitas y distancias adecuadas.

Sombras de color

¿Te gustaría que tu sombra fuese fucsia, azul o verde? Hagámoslo.

Qué necesitas

Papel celofán o plástico transparente de colores, por ejemplo, azul, rojo y verde

3 linternas potentes o proyectores de diapositiva (reúnete con tus amigos para formar un equipo de luces de colores)

Pared blanca en una habitación que pueda oscurecerse

Qué hacer

1. Fija con cinta adhesiva, tapando la salida de la luz, un papel celofán de distinto color en cada linterna o proyector.

2. Coloca las linternas o proyectores bien separados entre sí y sobre lugares altos (estantes o muebles) y enfócalos sobre la misma zona de la pared, como indica la figura.

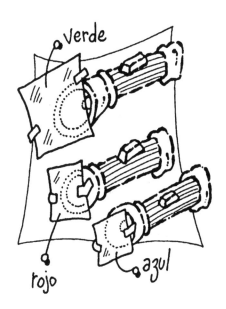

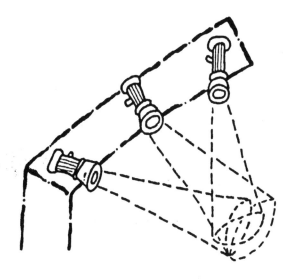

3. Enciende las linternas de a una mientras interpones tu mano en el camino de la luz. Cuando estén todas encendidas, experimenta cambiando las luces de inclinación y de posición hasta obtener las sombras más coloridas posibles.

QUÉ SUCEDE

Observarás que cuando tienes, por ejemplo, sólo la luz roja encendida, la sombra es negra, igual que si la luz fuera blanca. Pero si enciendes también la luz azul, obtendrás una sombra azul y una sombra roja (en realidad serán dos penumbras, una azul y otra roja). Sólo donde las penumbras azul y roja se superponen, obtendrás una sombra negra.

La explicación es parecida a la de la penumbra. En el lugar en que la mano produce una sombra bloqueando la luz roja, la luz azul puede iluminar, dando a la sombra un color azul. Si la mano bloquea al mismo tiempo la luz de las dos linternas, no llega ninguna luz a la pared y la sombra es negra. Si ahora enciendes la luz verde, los colores se combinarán, habrá una sombra amarilla donde lleguen solamente las luces roja y verde, una sombra color lila donde lleguen las luces roja y azul y una sombra color verde agua donde sólo lleguen las luces azul y verde. Por supuesto, también habrá una sombra negra donde no pueda llegar ninguna luz.

Este principio de combinación de colores se usa para obtener las fotos y la televisión en colores.

Geometría de la luz

Los caminos de la luz

Las partículas de la luz, los fotones, pueden atravesar objetos transparentes como el agua o el vidrio; sin embargo, por lo general, al hacerlo la velocidad de los fotones disminuye. A ellos les ocurre como a nosotros, sin duda nos cuesta más avanzar a través del agua que a través del aire.

La luz viaja muy rápido siempre, pero va a la mayor velocidad en el espacio vacío, un poco más lentamente en el aire, más lento en el agua y más aún en el vidrio.

Claro que cuando se trata de la luz, decir "más lentamente" casi parece una broma, ya que viaja a través del vidrio de tu ventana a unos 720 millones de km/h, mientras que a través del aire, se mueve a unos 1100 millones de km/h (300.000 km/s).

Aunque parezca imposible, no es demasiado difícil medir las diferencias de velocidad de la luz en distintos materiales. Esto se debe a que los cambios de velocidad de la luz traen como consecuencia cambios en la dirección de los rayos de luz. Ese cambio de dirección se llama **refracción**.

Refracción de una onda

Para empezar, analicemos cómo y por qué se desvía (se refracta) una onda sobre la superficie del agua.

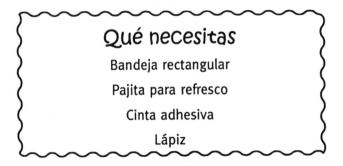

Qué necesitas

Bandeja rectangular

Pajita para refresco

Cinta adhesiva

Lápiz

Qué hacer

1. Apoya la bandeja sobre una superficie plana y cubre el fondo con $\frac{1}{2}$ cm de agua.

2. Si la pajita es más larga que el ancho de la bandeja, córtala de manera que no choque con los costados de la bandeja.

3. Confecciona con cinta adhesiva una manija para la pajita, como indica la figura.

4. Toma la pajita por la manija y muévela suave y repetidamente en la superficie del agua de arriba hacia abajo y de abajo hacia arriba. Observa el recorrido de las ondas que se forman.

5. Coloca el lápiz debajo de uno de los lados de la bandeja para inclinarla y repite el movimiento de vaivén con la pajita. Observa nuevamente el recorrido de las ondas.

igual Profundidad: movimiento homogeneo.

QUÉ SUCEDE

¿Cómo son las distintas ondas? En el primer caso, se mueven a través del agua en forma paralela al movimiento de la pajita.

En cambio, cuando se inclina la bandeja, las ondas se frenan sobre el lado levantado. Les resulta más difícil moverse donde sufren mayor fricción contra el fondo.

Algo similar a esto ocurre con los rayos de luz. Cuando llegan desde el aire a otro material, como agua o vidrio, en el que deben moverse más lentamente, los rayos de luz se desvían hacia ese material.

Fotones

Veamos ahora cómo se desvían los fotones de verdad.

Qué necesitas

Fuente de 4 cm o más de profundidad

Jarra con agua

3 clips para papel de distintos colores

Linterna

Lata vacía

2 pilas agotadas

Banditas de goma

Qué hacer

1. Realiza un soporte para la linterna fijando una pila de cada lado con las banditas de goma y colocando el conjunto sobre la lata abierta.

2. Apoya la bandeja vacía sobre la mesa y acerca la linterna sobre su soporte de modo que ilumine el fondo de la fuente.

3. Marca la posición del borde más cercano de la luz de la linterna sobre el fondo de la fuente apoyando un clip en ese lugar.

En la figura, te hemos marcado las distancias que obtuvimos nosotros.

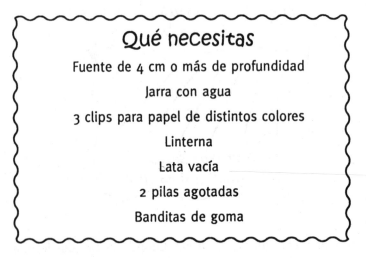

linterna

bandita de goma

pila

pila

lata

4. Con la jarra, vierte agua en la fuente hasta la mitad sin cambiar la linterna ni la fuente de posición. Hazlo lentamente de modo que no se mueva el clip.

5. Coloca otro clip en la posición en la que ahora está el borde de luz.

6. Repite la operación llenando totalmente la fuente de agua.

7. ¿Observaste cómo cambia de dirección el rayo de luz al pasar del aire al agua?

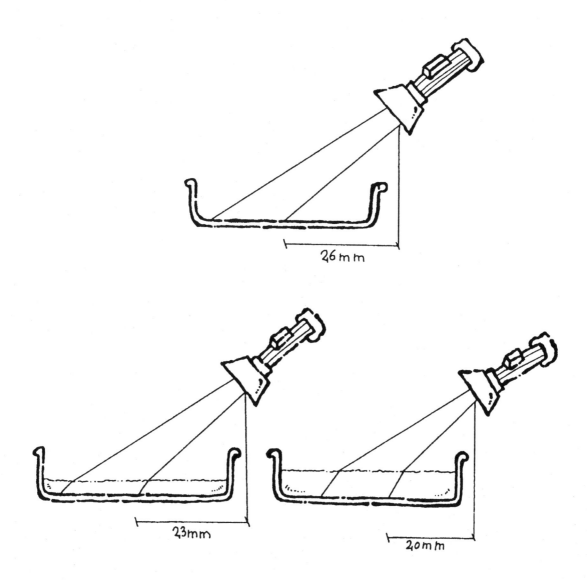

Efectos de la refracción de la luz en el agua

A partir de los efectos de la refracción, te proponemos estas variantes de desafíos clásicos. ¿Puedes "arponear" un pez de plastilina al primer intento?

Qué necesitas

Recipiente opaco, como una fuente de metal

Trocito de plastilina del tamaño de una moneda pequeña. Si quieres, puedes darle forma de pez

Palito fino y recto de unos 25 cm de largo

Jarra con agua

Qué hacer

1. Coloca el "pez" de plastilina en el fondo de la fuente y la jarra con agua a un costado.

2. Observando el "pez", retrocede y baja la cabeza hasta que los bordes de la fuente apenas te impidan verlo.

3. Sin cambiar tu línea de vista, comienza a agregar agua a la fuente hasta que veas nuevamente al "pez". ¿Por qué crees que lo ves ahora?

4. Apunta con el palito al pez, dirige el palito directamente a él para "arponearlo"... ¿lo lograste?

QUÉ SUCEDE

Al agregar agua al recipiente, ves nuevamente el "pez" debido a que la luz que refleja se desvía (refracta) en la superficie del agua y puede alcanzar nuevamente tus ojos.

Como indica la figura, tú y tus ojos piensan que la luz solamente viaja en línea recta y creen ver al pez como si estuviera más arriba, en la posición marcada con líneas de puntos.

Cuando apuntas con el "arpón", lo haces en línea recta hacia el pez marcado con línea de puntos y, por lo tanto, tu puntería es mala.

palito

Pregunta

Cuando en una película documental, veas a alguien que pesca con arpón en un río, observa cómo se coloca para hacerlo. ¿Cuál de las dos posiciones que proponemos en la figura será la mejor?

Respuesta: lo mejor (para el pescador, no para el pez) es mirar directamente hacia abajo, en forma perpendicular a la superficie del agua, de esta manera la luz que proviene del pez no se desvía. Si no es posible hacer esto, entonces el pescador tiene que apuntar más abajo de donde ve al pez.

Las lentes

Experimentemos ahora para ver qué pasa cuando la luz atraviesa un cuerpo transparente de paredes que no son planas.

Qué necesitas

2 monedas chicas (de 5 centavos, por ejemplo), iguales

Gotero de medicamentos

Vaso con agua

Botella común de vidrio, de 1 litro, por ejemplo

Clip para papeles

Cinta adhesiva

A. Lentes convexas

Qué hacer

1. Coloca las monedas sobre una mesa plana. La mesada de la cocina es lo mejor.

2. Elige alguna inscripción que tengan las monedas para observar.

3. Con el gotero agrega con cuidado y gota a gota agua del vaso sobre una de las dos monedas hasta que se forme una montañita de agua como la que se ve en la figura.

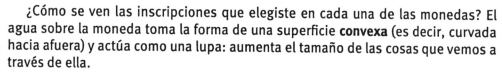

QUÉ SUCEDE

¿Cómo se ven las inscripciones que elegiste en cada una de las monedas? El agua sobre la moneda toma la forma de una superficie **convexa** (es decir, curvada hacia afuera) y actúa como una lupa: aumenta el tamaño de las cosas que vemos a través de ella.

B. Lentes cóncavas

Qué hacer

1. Toma el clip y dale la forma que muestra la figura. La idea es que una parte del clip pueda colgarse del cuello de la botella hacia adentro y sobre la otra parte se pueda poner la moneda.

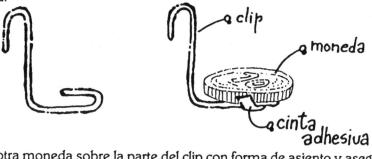

clip

moneda

cinta
adhesiva

2. Coloca la otra moneda sobre la parte del clip con forma de asiento y asegúrala por detrás con un poco de cinta adhesiva.

3. Llena la botella hasta el cuello con agua y cuelga el clip con la moneda de modo que esta quede sumergida.

QUÉ SUCEDE

¿Cómo se ve la moneda ahora? Más pequeña, ¿no es cierto? Observa desde el costado de la botella la forma que tiene la superficie del agua. Esa superficie curvada hacia adentro se llama **cóncava**. Las lentes cóncavas disminuyen el tamaño de los objetos que se observan a través de ellas.

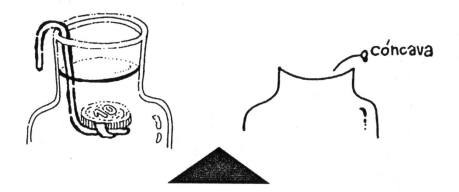

cóncava

Construir y probar lupas

Ahora te proponemos leer un trozo de diario con diferentes lupas que podrás hacer tú mismo.

Qué necesitas

Frascos o tubos transparentes, por lo menos 2 del mismo tamaño y algunos de otros tamaños

Agua

Alcohol

Lápiz

Recorte de diario u otro trozo de página impresa con letras pequeñas

Qué hacer

1. Llena con agua los tubos o frascos de diferentes tamaños.

2. Coloca la página impresa detrás de cada tubo y observa cómo se ve a través de ellos. Recuerda y marca cuál aumenta más el tamaño de las letras.

3. Elige un tubo o frasco del mismo tamaño que uno de los que están llenos con agua, límpialo y sécalo bien. Llénalo con alcohol. Guarda nuevamente el alcohol en su recipiente después de usarlo, no hagas esta experiencia en la cocina, donde puede haber fuego encendido que inflame el alcohol, sino en el baño, sobre el lavatorio.

4. Prueba, igual que antes, usando la página impresa. ¿Qué frasco aumenta más? Anota los resultados y realiza el experimento que te proponemos a continuación.

Anteojos personales

Haciendo el siguiente experimento te convencerás de que las denominaciones **convergente** y **divergente** están muy bien puestas.

Qué necesitas

Varios compañeros, familiares o amigos que usen anteojos y estén dispuestos experimentar cuidadosamente con ellos

Fuente de luz, tal como la lámpara de un velador sin pantalla o las luces de la habitación

Mesa

Papel blanco

Qué hacer

1. Pide a los dueños de los anteojos que, uno por uno, los coloquen a cierta distancia sobre la mesa, de tal manera que la luz de la lámpara pase por los anteojos y caiga luego sobre el papel blanco.

2. Verás entonces sobre el papel la sombra del marco de los anteojos y la mancha de luz de la lámpara.

3. Mueve ahora lentamente los anteojos hacia arriba y hacia abajo mientras observas qué forma tiene la mancha de luz.

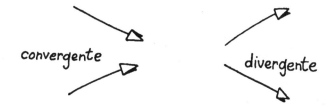

convergente   divergente

QUÉ SUCEDE

Seguramente te encontrarás con tres clases diferentes de manchas de luz.

Algunas lentes de anteojos, casi con seguridad los que el abuelo o la abuela usan para leer, forman una mancha de luz más chica que la sombra del marco del anteojo. Al subirlos y bajarlos se encuentra una posición en que la mancha de luz es muy chiquita. La luz que ha pasado por el anteojo ha seguido caminos convergentes.

Estos lentes tienen la forma de la gota de aceite o la del agua sobre la moneda; es decir, son más gruesos en el centro que en los bordes.

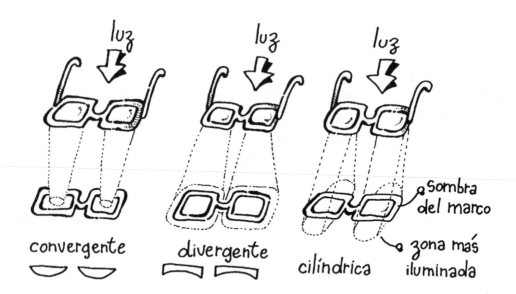

Otras lentes forman una mancha de luz más grande que el marco del anteojo. La luz se "abre" después de pasar por ellos y diverge, es decir, se separa cada vez más. Notarás que las lentes de esos anteojos son más gruesas en los bordes y más finas en el centro. Esa forma era la que tenía el agua en el cuello de la botella, cuando la moneda que colgamos dentro se veía más pequeña de lo que era.

Por último, quizás encuentres algunas lentes que, siendo también convergentes o divergentes, tienen además otra característica: la mancha de luz que proyectan tiene distinta forma que la de la lente de los anteojos. Si son convergentes, la luz tiende a juntarse en una línea en lugar de un punto; y si son divergentes, la luz tiende a separarse más en una dirección que en otra.

Las lentes de esos anteojos tienen también una curvatura cilíndrica, como la de los frascos que, como recuerdas, aumentaban los objetos en una dirección, pero no en otra. Esa curvatura cilíndrica es generalmente muy pequeña y no se nota tocando la lente.

Por supuesto, las personas que usan lentes no ven las cosas más grandes o más chicas o más alargadas en una dirección.

Las lentes se usan para corregir algunos defectos del sistema de lentes de nuestros ojos de modo que podamos ver mejor.

Focos e imágenes que forman las lupas

Veamos cómo funcionan los focos o los haces de rayos luminosos.

Qué necesitas

Lupa simple de vidrio del tipo de las que se consiguen en las casas de filatelia o cualquier otra lente convergente similar. Las lupas o lentes de plástico suelen ser de calidad inferior y, generalmente, no sirven para este experimento, pero si tienes una lupa de plástico buena, pruébala porque será más liviana, más fácil de usar y... más difícil de romper

2 libros grandes de ancho similar

Regla ancha

Papel blanco

Qué hacer

1. Aprieta la lupa entre los lomos de los libros para sostenerla. Si los lomos son demasiado altos, coloca algo, una goma de borrar por ejemplo, para levantar la lupa de manera que los libros tapen un poco menos de la mitad de la lupa.

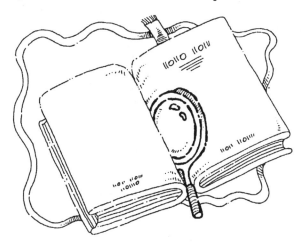

2. Apoya sobre un papel blanco del tamaño del libro la regla ancha y traza dos líneas paralelas usando para ello los dos lados de la regla. Coloca este papel sobre el libro, detrás de la lupa, como indica la figura.

3. Coloca ahora un papel blanco similar al primero sobre el libro que está delante de la lupa.

4. Mira a través de la lupa las líneas paralelas del papel de atrás. Parece que se separan, ¿no es cierto?

5. Coloca la regla sobre el papel de adelante en la dirección en la que ves una de las líneas del papel de atrás y marca esta dirección con un trazo de lápiz. Sin mover el papel, realiza lo mismo con la otra línea.

6. Observa que las líneas que trazaste se van acercando, prolóngalas hasta que se junten en un punto y mide y anota la distancia entre la lupa y ese punto.

¿ QUÉ SUCEDE ?

Esa distancia se denomina **distancia focal** de la lupa y el punto, **foco**.

Ahora que sabemos cuál es la distancia focal podemos hacer algunos experimentos interesantes.

Para saber más

Los espejos

Hemos visto que, cuando la luz llega a un objeto, se comporta de varias maneras posibles que dependen de cómo y de qué está hecho el objeto. La luz puede ser absorbida por un objeto oscuro y opaco, como un telón de teatro, y un objeto transparente puede dejarla pasar, como sucede con el vidrio de una ventana.

Hay cosas que se comportan de otra manera cuando reciben luz: ¡la hacen rebotar y la devuelven!, es decir, reflejan la luz. Tú conoces muchos objetos con esas características, como automóviles limpios y lustrados, superficies de metal pulido, ventanas de edificios, techos cubiertos con membranas de aluminio y plástico, superficies de agua (sobre todo de agua quieta) y, por supuesto, espejos.

En realidad todos los objetos reflejan la luz, porque la que reflejan es la que entra en nuestros ojos y nos permite verlos.

Lo que es muy variable es la proporción de luz que reflejan: algunos no reflejan casi nada, otros un poquito y otros casi todo. A las cosas que reflejan casi toda la luz las llamamos *espejos*.

Seguramente tú dirías que los espejos que hay en tu casa son "de vidrio", pero, en realidad, son de metal. En la figura te mostramos cómo están hechos.

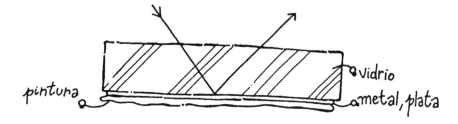

Lo que refleja la mayor parte de la luz es la capa de plata. El vidrio, duro y transparente, sirve para sostener y proteger la fina capa de metal y la pintura de rayaduras y oxidaciones por el lado de atrás del espejo.

Pregunta

¿Cómo crees que están hechas las cartulinas espejadas? ¿En qué se parecen a un espejo común de "vidrio-metal-pintura"?

Respuesta: las cartulinas espejadas están construidas de la siguiente manera.

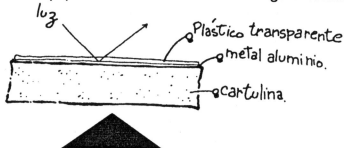

Escritura con espejo

Los espejos son fascinantes. Los siguientes experimentos te servirán para conocer mejor sus características. Pero... ¡ojo! Realízalos con cuidado. Trabaja sobre una mesa, de modo que si algún espejo se te escapa de la mano, no caiga al suelo y se rompa. En algunas papelerías venden cartulinas espejadas que no tienen este inconveniente y que, además, pueden doblarse y cortarse del tamaño que desees.

Qué necesitas

Espejo

Lápiz

Fibra

Papel

1 ó 2 broches

Libro grande

Mucha valentía para no hacer trampa

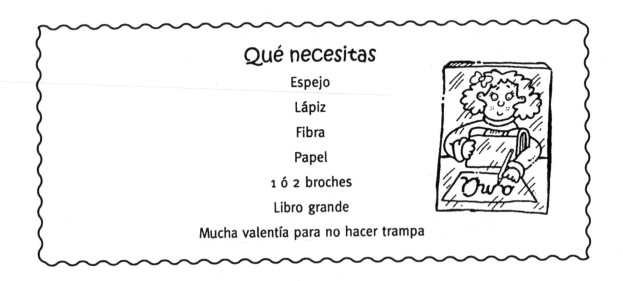

Qué hacer

1. Escribe con el lápiz y con letra grande y clara tu nombre en el papel.

2. Sujeta de costado el espejo con los broches, de modo que pueda mantenerse parado en posición vertical.

3. Coloca el papel sobre la mesa para que lo puedas ver reflejado en el espejo.

4. Acomoda el libro entre tus ojos y el papel, de modo que puedas ver el espejo (donde se ve la imagen de tu nombre escrito en el papel), pero no el papel sobre la mesa.

5. Ahora, mirando solamente el espejo, remarca con la fibra tu nombre escrito en papel. Trata de no salirte de las líneas de lápiz... No es fácil, ¿verdad? En realidad, se complica tanto que la tentación de espiar por encima del libro es grande.

6. Desafíate a ti mismo realizando dibujos cada vez más complejos y tratando de remarcarlos mirando sólo en el espejo.

QUÉ SUCEDE

¿ Pensemos ahora, ¿por qué es tan difícil remarcar de esta manera? ¿Qué es lo que te sucedía cuando tratabas de hacerlo? ¿No es cierto que cuando tratabas de mover tu mano hacia un lado para seguir las líneas de lápiz, esta parecía decidir moverse para el otro? Podemos entender por qué nos sucede esto si nos miramos en un espejo mientras, por ejemplo, levantamos el brazo derecho. ¿Qué brazo levanta la imagen del espejo? La imagen del espejo levanta el brazo izquierdo. Si queremos estar absolutamente seguros, podemos cerrar los ojos (para no distraernos), darnos vuelta de modo que el espejo quede a nuestra espalda y levantar el brazo como lo tenía levantado la imagen... ¡tendremos que hacerlo con el brazo izquierdo!

Este fenómeno por el cual los espejos parecen cambiar la derecha por la izquierda tiene ciertas posibilidades muy divertidas, por ejemplo, ¿qué dice la siguiente inscripción?

ESTO ESTÁ ESCRITO
DE DERECHA
A IZQUIERDA

Averiguarlo es sencillo, coloca el borde de un espejo sobre la línea marcada y leerás "esto está escrito de derecha a izquierda".

La misma idea se aplica ahora a los automóviles de la policía y a las ambulancias. Sobre la parte delantera de esos vehículos está escrito, con grandes letras, las siguientes palabras.

De esta manera, cuando los conductores los ven acercarse por su espejo retrovisor pueden leer correctamente "ambulancia" o "policía" y dejarlos paso. Compruébalo leyendo los carteles que están más arriba como si fueras conduciendo tu automóvil.

Para saber más
Los espejos y la simetría

Las cosas que tienen cierta simetría no cambian de aspecto cuando se reflejan en un espejo. Por ejemplo, el lado derecho de tu cara es muy similar al lado izquierdo. Ciertas letras también son simétricas, la "O" y la "A", por ejemplo, no cambian si se ven reflejadas en un espejo que se coloque a uno de sus lados. Tampoco cambian si el espejo se ubica cortando de arriba hacia abajo la letra por la mitad. La "O" y la "A" tienen simetría vertical.

 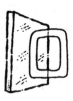

La "H", la "E" y la "O" tampoco cambian si se reflejan en un espejo colocado arriba (o abajo) de ellas. No lo hacen asimismo si el espejo se coloca cortando la letra por la mitad en sentido horizontal. La "H", la "E" y la "O" tienen simetría horizontal.

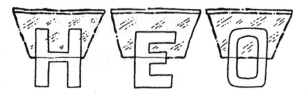

Cómo se refleja la luz

Comprobemos algunas características de la reflexión.

Qué necesitas

Transportador

Broche para ropa

Espejo rectangular pequeño

2 pajitas para refrescos

Qué hacer

1. Toma el espejo y colócalo sobre la línea de base del transportador. Usa el broche para mantenerlo vertical.

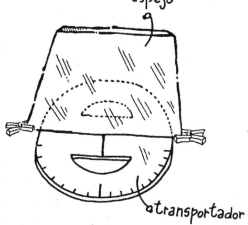

espejo

transportador

2. Coloca una pajita sobre el transportador de modo que toque el espejo donde está la línea vertical de medida en la base del transportador. Anota el ángulo que se lee sobre el transportador.

3. Coloca la otra pajita de modo que quede en línea con la imagen de la primera pajita en el espejo. Anota el ángulo que forma la segunda pajita. ¿Has descubierto que los ángulos son iguales?

4. Repite el experimento usando otros ángulos para la primera pajita. Los ángulos de la segunda son siempre iguales a los de la primera, ¿no es cierto?

¿QUÉ SUCEDE?

Los rayos de luz que se reflejan en el espejo "rebotan" como lo haría una pelota sobre el piso. Si arrojamos una pelota perfectamente esférica sobre un piso liso en dirección inclinada, esta rebota igualmente inclinada hacia el otro lado. Nadie espera que rebote hacia arriba.

Los espejos actúan como pisos perfectamente pulidos y la luz que llega a su superficie con cierto ángulo de inclinación (llamado *ángulo de incidencia*) se refleja en ellos, saliendo con el mismo ángulo (llamado *ángulo de reflexión*), pero hacia el otro lado de la vertical del espejo.

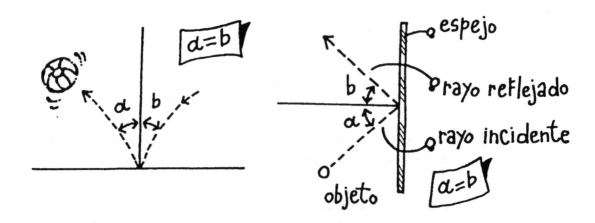

54

Una vela que arde en el agua

Con el siguiente truco puedes producir este efecto y, de paso, también aprenderás algo sobre las imágenes en los espejos.

Qué necesitas

Trozo de vidrio rectangular, limpio y transparente

Vela corta con su portavelas

Fósforos

2 botellas de litro con agua. Las botellas sirven para sostener el vidrio entre ellas. No uses vidrios demasiado grandes o botellas tan chicas que no puedan sostenerlos en forma segura

Vaso o frasco de vidrio más alto que la vela y lleno de agua

Mesa

Habitación que pueda oscurecerse un poco

Regla

Qué hacer

1. Coloca las botellas en el centro de la mesa, una al lado de la otra, y ubica el vidrio entre ellas de modo que lo sostengan en posición vertical.

2. Pídele a un mayor que encienda la vela y colócala a cierta distancia, más o menos a 30 cm, a un lado del vidrio.

objeto

Frasco con agua

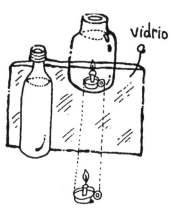

vidrio

3. Ahora mira a través del vidrio como indica la figura, deberás ver detrás del vidrio la imagen de la vela que se refleja en el vidrio como en un espejo.

4. Coloca del otro lado del vidrio el vaso o frasco con agua en el lugar donde ves la imagen de la vela. ¡Listo! La vela parece estar encendida dentro del agua del frasco.

QUÉ SUCEDE

¿ Si mueves la vela más cerca o más lejos del vidrio y luego desplazas el frasco de modo que la imagen reflejada de la vela quede nuevamente dentro del frasco, verás que si alejas o acercas la vela también tienes que alejar o acercar el frasco. Si mides con la regla la distancia de la vela al vidrio y la distancia del frasco al vidrio verás que son iguales. ?

La imagen de un objeto parece estar dentro del espejo a la misma distancia a la que está el objeto del espejo.

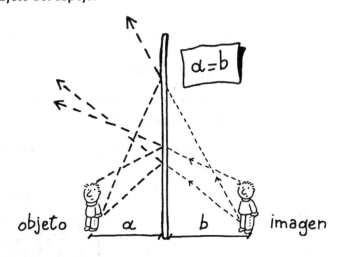

Pregunta

¿Por qué en muchos locales de comercio, sobre todo cuando son muy pequeños, suele haber grandes espejos que cubren toda una pared?

Respuesta: porque de esa manera el local parece el doble de grande.

Periscopio

Un periscopio similar al que usa la tripulación de los submarinos para ver lo que está sucediendo en la superficie te servirá para saber qué pasa del otro lado del sillón.

Qué necesitas

Listón de madera de 55 x 4 cm

Cubo de madera de 4 x 4 cm

2 espejos de aproximadamente 5 x 7 cm

Pegamento para madera

Lápiz

Papel

Tijera

Qué hacer

1. Pídele al carpintero del barrio o a algún familiar aficionado a la carpintería que te corte las maderas. También que corte el cubo en dos por la diagonal de uno de sus lados para que queden dos cuñas triangulares.

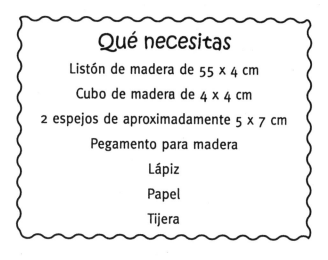
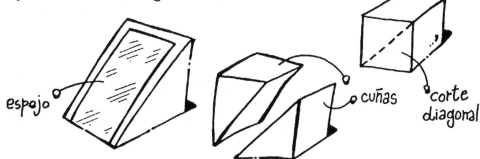

espejo   cuñas   corte diagonal

2. Apoya las cuñas sobre la mesa y pega los espejos como en la figura.

3. Marca en el listón largo una línea a 8 cm de distancia de un extremo. Ese trozo del listón te servirá para tomar el periscopio con la mano.

4. Coloca el listón sobre la mesa y apoya las dos cuñas con los espejos pegados, uno en un extremo y el otro sobre la línea que acabas de marcar.

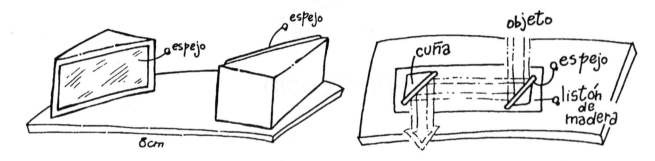

5. Mirando desde el borde de la mesa hacia el espejo que está sobre la línea, mueve y gira cuidadosamente los espejos de modo que veas claramente los objetos del cuarto que están delante del espejo superior.

6. Cuando los espejos estén bien alineados, marca sobre el listón con un lápiz la posición de las cuñas y pégalas en esa posición. Deja secar bien el pegamento.

7. Te recomiendo que forres tu periscopio con papel y luego, con una tijera, abras ventanas frente a los espejos. El periscopio parecerá funcionar mucho mejor porque no te distraerán las cosas que tu ojo ve desde los costados.

8. Para usar el periscopio, toma el listón por la parte inferior y mira hacia el espejo inferior. Verás las cosas que quedan delante del espejo superior.

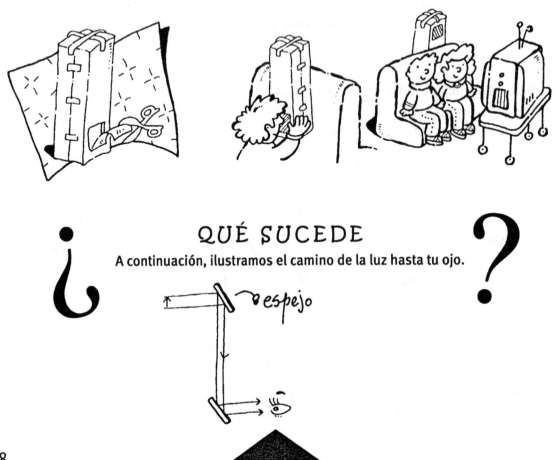

¿ QUÉ SUCEDE ?

A continuación, ilustramos el camino de la luz hasta tu ojo.

espejo

¿Eres como te ves?

En realidad no, no eres exactamente como te ves en el espejo. El espejo parece dar vuelta tu cara de derecha a izquierda y los demás no te ven así. Te mostraremos cómo puedes ver en el espejo la misma cara que los demás ven.

Qué necesitas

2 espejos rectangulares pequeños, sin marco

Qué hacer

1. Toma los espejos, uno en cada mano, y colócalos de modo que sus lados se toquen y formen un ángulo recto.

2. Mírate en los espejos, ajusta suavemente el ángulo de modo que tu cara se vea entera y... cierra un ojo.

QUÉ SUCEDE

¡Sorpresa! Cuando cierras un ojo, tu cara en el espejo cierra el ojo del otro lado. O ¿en realidad cierra el mismo ojo? Piénsalo bien. Si tú cierras el ojo derecho, la imagen del espejo también cierra su ojo derecho.

Ahora diviértete un rato haciendo algunas muecas con las partes derecha e izquierda de tu rostro.

Caras graciosas

¿Cómo te verías si tuvieras más de 2 ojos o si no tuvieras ninguno? Compruébalo y diviértete mientras lo haces.

Qué necesitas

2 espejos rectangulares pequeños, sin marco

Qué hacer

1. Abre y cierra lentamente los espejos mientras te miras en ellos. ¿Qué le sucede a tu nariz?

2. Coloca los espejos de modo que la unión entre ellos esté en posición horizontal.

3. Mírate en los espejos mientras los abres y cierras lentamente como antes.

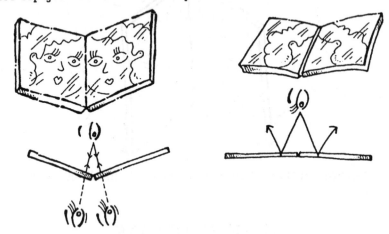

QUÉ SUCEDE

¿Cuántos ojos tienes? ¿Cuatro, dos o ninguno? Así como has logrado una imagen de tu rostro con más de un par de ojos, también puedes multiplicar las imágenes de otros objetos.

El caleidoscopio

Creado por primera vez en 1816 por el científico David Brewster, el **caleidoscopio**, quiere decir en griego 'veo hermosas formas'. Como esto es siempre agradable, seguro te gustará hacer un caleidoscopio que funcione realmente bien.

Qué necesitas

Cuidado y precaución, ¡los bordes de los espejos son afilados y pueden lastimarte!

Tubo de cartón de aproximadamente 4 cm de diámetro y unos 25 o más cm de largo (los tubos que hay en el centro de los rollos de servilletas de papel o los más largos y pesados en los que vienen enrolladas las telas que se venden en las tiendas son adecuados).

Tapa de plástico translúcido que pueda tapar un extremo del cartón (sirven las tapas de los envases de yogur o leche cultivada de un litro).

3 espejos. Estos deben ser angostos y largos de modo que quepan en el tubo en forma de triángulo (en realidad en forma de prisma triangular), como se ve en la figura. También es conveniente que sean aproximadamente 1 cm más cortos que el tubo, pero es mejor que tanto el tubo como los espejos sean lo más largos posible (30 cm es una medida adecuada), las imágenes se ven más claras de esa manera.

Tijera

Cinta adhesiva

Banditas de goma

Papel celofán transparente

Objetos pequeños de color como lentejuelas, semillitas, trozos de plástico y pedacitos de vidrio, ganchitos de abrochadora para papeles, etc.

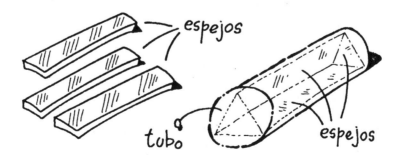

Qué hacer

1. Coloca los espejos boca abajo sobre la mesa dejando un espacio de ½ cm entre ellos, como indica la figura.

2. Pega cinta adhesiva a lo largo de los bordes de los espejos. Trabaja con cuidado para no cortarte con los bordes filosos del vidrio.

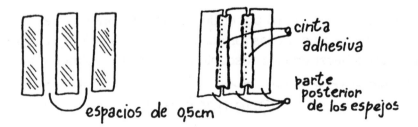

espacios de 0,5cm

cinta adhesiva

parte posterior de los espejos

3. Da vuelta el conjunto de manera que te veas en la parte espejada.

4. Dobla hacia arriba los dos espejos laterales para formar un prisma triangular y únelos con cinta adhesiva. Asegúralos con más cinta en sentido transversal.

espejos laterales

parte espejada

5. Mira a través del prisma de espejos verás que el mundo exterior se ha puesto muy geométrico, todo resulta hexagonal, ¿no es cierto?

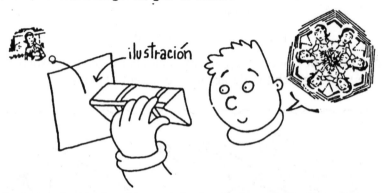

ilustración

6. Coloca el prisma de espejos dentro del tubo. Debe quedar bien ajustado (si está suelto, envuélvelo en papel hasta que entre ajustado y quede firme).

7. Fíjate que los espejos estén a nivel con el borde superior del tubo y que dejen 1 cm aproximadamente de tubo libre en la parte inferior.

tubo

debe quedar una distancia de 1cm.

prisma de espejos

debe ajustar bien.

8. Recorta un círculo de cartulina de un diámetro 2 cm mayor que el del tubo, corta algunos triángulos de 1 cm de altura alrededor del borde del círculo. Recorta también un orificio de 2 ó 3 mm de diámetro en el centro del círculo.

9. Pega el círculo de cartulina al extremo superior del tubo.

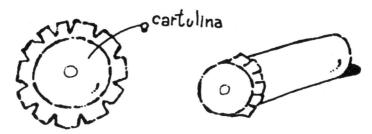

cartulina

10. Corta una tira de cartón de 1 cm de altura y dale la forma de un círculo que pueda colocarse ajustadamente dentro del tubo.

11. Pega el extremo de la tira de cartón con cinta de modo que el círculo no vuelva a abrirse.

12. Con la cinta adhesiva, el trozo de celofán transparente y el círculo de cartón forma una especie de recipiente chato con fondo transparente.

13. Coloca este recipiente en el fondo del tubo, de modo que el celofán quede contra la parte inferior de los espejos y el cilindro de cartón hacia el extremo del tubo.

objetos pequeños

círculo de cartulina

tubo

14. Coloca los objetos que juntaste dentro del recipiente con fondo transparente y tapa el tubo con la tapa plástica translúcida.

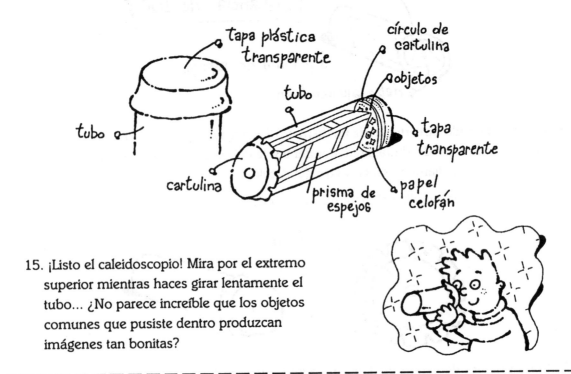

15. ¡Listo el caleidoscopio! Mira por el extremo superior mientras haces girar lentamente el tubo... ¿No parece increíble que los objetos comunes que pusiste dentro produzcan imágenes tan bonitas?

Para saber más

Espejos curvos

La mayoría de los espejos que usamos son planos. Frente a ellos nos lavamos la cara a la mañana, miramos la ropa que pensamos comprar u observamos cómo nos quedó el corte en la peluquería. Pero hay también espejos curvos. Estos son muy útiles y muy divertidos porque dan imágenes distorsionadas. ¿Te has observado en alguno de los que existen en los parques de diversiones?

Si no lo has hecho, puedes probar algo muy parecido usando como espejo la puerta o el guardabarros de un automóvil bien lustrado.

Espejos esféricos

Un espejo esférico es un trozo de esfera pulida. Si la parte que refleja la luz es la interna, el espejo se llama *cóncavo* o *convergente*.

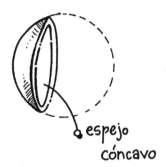

Seguramente tienes a mano algún espejo cóncavo. Se suelen usar para afeitarse o maquillarse, porque, si se coloca un objeto muy cera del espejo, la imagen que se forma es mayor que el objeto, como puede verse siguiendo el camino de los rayos de luz.

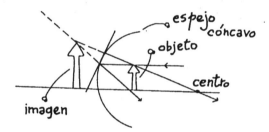

Puedes comprobar esto mirándote en el espejo cóncavo o, si no tienes uno a mano, en la superficie interior de una cuchara bien pulida.

Si la zona que refleja la luz es la parte externa de la esfera, el espejo se llama *convexo* o *divergente*. Estos espejos producen una imagen más pequeña que la de un espejo plano. Se suelen usar como espejos retrovisores exteriores de los autos porque, por su forma, recogen la luz de una ancha zona y brindan a los conductores una visión amplia de lo que hay detrás de ellos.

Anamorfis

Se llama así a una imagen distorsionada hecha a propósito para ser vista en un espejo curvo. La siguiente figura es un ejemplo.

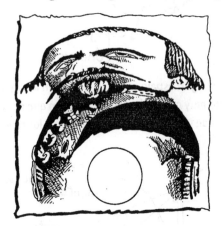

¿Qué ocurrirá entonces cuando esta figura se refleje en un espejo curvo? ¿Probamos?

Qué necesitas

Cartulina espejada o papel metalizado plateado, del que se usa para envolver regalos

Cilindro de 3 cm de diámetro

Cinta adhesiva

Qué hacer

1. Enrolla la cartulina o el papel metalizado alrededor del cilindro, con la parte más brillante hacia afuera. Asegúralo con un trozo pequeño de cinta adhesiva. Cuida que no quede arrugado.

2. Ubica el cilindro sobre el círculo de la siguiente figura. Mira la imagen en el espejo cilíndrico que has construido. ¿Ves cómo se forma una imagen normal?

Color

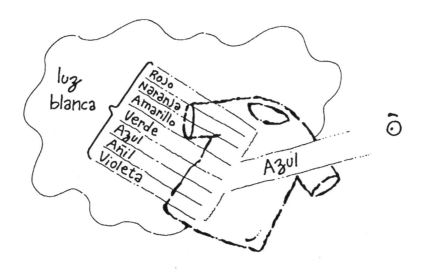

Los colores de las cosas

¿A qué se deben los distintos colores de las cosas que te rodean? En los experimentos anteriores vimos que la luz blanca es una mezcla de todos los colores. Cuando la luz blanca cae sobre un objeto, este absorbe algunos colores más que otros y, en cambio, refleja algunos colores mejor que otros. Una remera azul, por ejemplo, se ve de ese color porque en su tela se ha colocado una sustancia que absorbe la mayor parte de los otros colores y refleja la luz azul.

Los colores de la luz

¿De qué color es la luz del sol que entra por la ventana? Nuestra respuesta será seguramente: "de color blanco". Realizando el siguiente experimento verás cuántos colores encierra la luz blanca del Sol.

La mejor hora para realizar este experimento es temprano a la mañana o después de media tarde, cuando los rayos del sol tienen la inclinación necesaria para entrar directamente por la ventana.

Qué necesitas

Bolígrafo hexagonal de plástico transparente

Ventana soleada.

Hoja de papel blanco

Qué hacer

1. Siéntate cerca de la ventana, donde te dé el Sol.

2. Toma la lapicera en posición de escribir y de manera que caiga sobre ella la luz del Sol.

3. Coloca la hoja de papel blanco cerca de la lapicera, del lado opuesto a la ventana.

4. Rota lentamente la lapicera mientras observas los colores que se proyectan en el papel.

5. Para ver mejor, haz sombra con tu otra mano sobre la zona del papel donde se observan los colores.

 ## QUÉ SUCEDE

¿Distingues los colores? Generalmente se ven bien el azul, el amarillo y el rojo. No hay líneas de separación entre ellos.

Para saber más

El espectro de la luz solar

Isaac Newton fue el primero que estudió la luz separándola en sus colores por medio de un trozo de cristal en forma de prisma triangular, y llamó al conjunto de colores en que separó la luz blanca el **espectro de la luz solar**. Distinguió siete colores en la luz: rojo, naranja, amarillo, verde, añil (un color morado-azulado) y violeta. Como los colores del espectro se van fundiendo unos en otros sin líneas de separación, es difícil decir cuántos son. A Newton probablemente le gustaba el número siete.

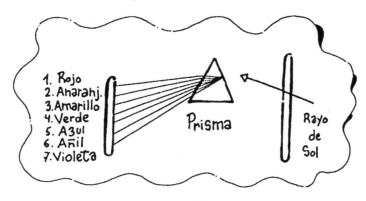

La luz del Sol nos parece blanca (o más bien incolora) porque es mezcla de todos los colores que podemos ver. Los distintos colores de la luz tienen cada uno de ellos distinta energía y la energía aumenta del rojo al violeta.

Cuando la luz "blanca" atraviesa el plástico de tu bolígrafo o el prisma de cristal de Newton, cada color resulta desviado en una proporción diferente y observamos entonces el "espectro de la luz del Sol".

Tú conoces, sin duda, un espectro solar de tamaño gigantesco: el arco iris. Ese espectro es producido por las minúsculas gotitas que quedan flotando en el aire después de una lluvia. Fíjate que sólo ves el arco iris en el cielo si el Sol está a tus espaldas.

Multitud de espectros

Otra de las maneras de obtener el "espectro" de la luz es hacerla pasar a través de aberturas muy estrechas.

Qué necesitas

Lámpara eléctrica sin pantalla

Pluma de ave

Habitación oscura

Qué hacer

1. Enciende la luz de la habitación.

2. Colocando la pluma delante de uno de tus ojos, mira la lámpara a través de la pluma desde una distancia de 2 a 3 metros.

¿QUÉ SUCEDE?

¿Ves la gran cantidad de óvalos de los colores del espectro? Si usas plumas densas y oscuras, los colores se ven más nítidos. Si te colocas a la sombra de una cortina o una puerta, de modo que la única luz que te llegue provenga de la lámpara a través de la pluma, verás mejor los colores.

Para saber más

El negro y el blanco

Decimos que algo es de "color negro" cuando absorbe fuertemente todos los colores y los refleja muy poco. Se suele decir que el negro no es un color sino la ausencia de color; pero si lo piensas mejor, te darás cuenta de que el negro es más bien la presencia de muy poquito de cada color. Por eso hay muchas clases de negro, como lo saben bien los que se dedican a la pintura.

En realidad, el "negro absoluto", más que la ausencia de color, sería la ausencia de luz.

El "color blanco" tampoco es un color, como ya hemos visto. El blanco es mucha luz de todos los colores. También hay entonces muchos "blancos" que se diferencian en que tienen un poco más de un color que de otro.

Esto último es muy fácil de comprobar. Te proponemos dos actividades de observación.

1) Observa la ropa que tienes puesta bajo la luz de una lámpara incandescente (que es de un color blanco rojizo), y compárala con la misma ropa vista con la luz de una lámpara fluorescente (que tiene una luz blanca mucho más "blanca").

2) Observa las estrellas durante una noche clara. Si no te lo has preguntado nunca, seguramente piensas que las estrellas son "blancas", pero si buscas atentamente, verás con facilidad estrellas blanco-rojizas, blanco-amarillentas y blanco-azuladas.

Filtros de color

Con los objetos transparentes que además tienen color se pueden conseguir efectos muy interesantes. Experimentemos con ellos.

Qué necesitas

Papel blanco

Fibras de color

Papel celofán transparente de color azul y rojo

Tijera

Qué hacer

1. Pinta en el papel blanco una escena usando muchos colores.

2. Corta un trozo de papel celofán rojo de aproximadamente 20 x 10 cm.

3. Observa tu dibujo a través de él. ¿Se ven igual todos los colores? ¿Cómo se ven las cosas pintadas de rojo?

4. Corta ahora un trozo de celofán azul y mira el dibujo a través de él.

¿ QUÉ SUCEDE ?

El dibujo visto a través del papel rojo tiene una tonalidad rojiza. El celofán, al ser transparente deja pasar la luz, pero no toda la luz. Justamente vemos una tonalidad rojiza porque el celofán deja pasar en mayor proporción ese color.

Observa que las cosas rojas se ven, a través del celofán rojo, menos rojas. Esto es porque resaltan menos, ya que ahora, a través del celofán, todo es rojizo. Algunas de las cosas coloreadas de rojo o de naranja desaparecen del dibujo, ya que no pueden distinguirse del fondo rojizo.

El celofán transparente, de color, es un filtro: deja pasar luz de ciertos colores y "filtra" (es decir, no deja pasar) otros. Usando esos filtros podemos producir dibujos con efecto tridimensional.

Dibujos 3D

La observación de imágenes en tercera dimensión requiere de un par de anteojos muy especiales. Fabriquemos unos y veamos qué sucede.

Qué necesitas

Cartulina fuerte, o una tarjeta índice de 8 x 18 cm

Papel de calcar

Papel celofán rojo y verde

Cinta adhesiva transparente

Papel blanco

Fibras o lápices de colores rojo y verde

Qué hacer

1. Dibuja sobre la cartulina o tarjeta el molde para tus anteojos.

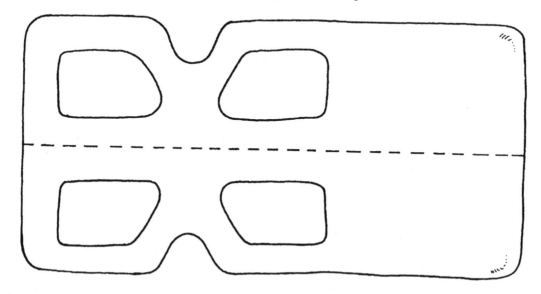

2. Recorta los contornos y el espacio para la visión de tus ojos. Si al recortar se te rompe alguna parte del armazón, no desesperes, repáralo pegando y reforzando con cinta adhesiva.

3. Adhiere un trozo (5 x 3 cm) de papel celofán rojo sobre la abertura de un ojo y uno verde, sobre la otra.

4. Dobla el armazón en la línea punteada dejando el celofán en el medio.

5. Pega en los contornos y deja secar.

6. Una vez que los anteojos estén bien pegados, póntelos. Cierra alternativamente uno y otro ojo, y observa cómo el paisaje cambia de colores.

7. Separa de entre todos tus lápices o fibras de colores los rojos y los verdes. Toma un papel blanco y, mirando solamente a través del filtro verde, dibuja una línea con cada uno de los lápices y fibras verdes. Separa para usar después el lápiz cuyo trazo se ve menos.

8. Repite esto mirando por el filtro rojo y observando los trazos de tus lápices y fibras rojas. Separa también ahora la fibra o lápiz cuyo trazo se ve menos.

9. Ahora, con los lápices que separaste, realiza un "dibujo doble especial": con uno de los lápices dibuja algo y luego, con el otro, repite el dibujo, pero desplazándolo un poco al costado. Ten cuidado de usar, para cada lado del dibujo, el color que tiene el mismo lado del anteojo. Fíjate, por ejemplo, en este dibujo.

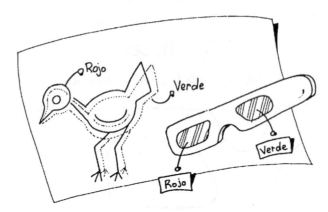

10. Mira tu dibujo con los anteojos puestos. ¿Observas cómo parece salir del papel?

QUÉ SUCEDE

La apariencia de profundidad es causada por los colores del dibujo y de los anteojos. Cada uno de tus ojos ve uno solo de los dos dibujos y tu cerebro junta las dos imágenes ligeramente diferentes y las interpreta como si tu dibujo tuviera volumen. Se dice que este tipo de anteojos fueron inventados como entretenimiento por el juez de la Suprema Corte de Justicia de Estados Unidos de Norteamérica, Oliver Wendell Holmes, quien no quiso patentarlos para no incrementar su valor.

Dinosaurios de colores

Los materiales transparentes de color se han usado desde que se inventaron para decorar ventanas. Se los conoce con el nombre de **vitreaux** o vidrieras. Con las siguientes indicaciones, puedes hacer un **vitreaux** para tu cuarto.

Qué necesitas

Cartulina

Papel de calcar

Papel celofán transparente de distintos colores

Trozo de telgopor

Aguja para punteado o un alfiler

Paciencia para puntear con prolijidad

Qué hacer

1. Calca el dinosaurio del modelo sobre la cartulina.

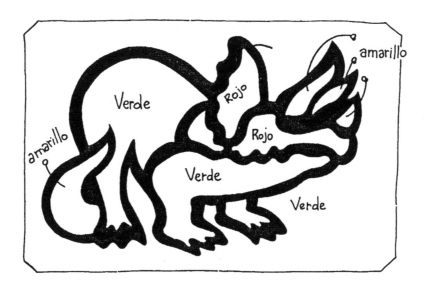

2. Recorta los lados del recuadro.

3. Con el trozo de telgopor debajo de la cartulina, atraviésala con la aguja o el alfiler haciendo muchos agujeritos muy juntos a lo largo de las líneas que bordean las zonas blancas del interior del dibujo.

4. Recorta y pega trozos de papel celofán de diferentes colores por la parte de atrás del dibujo. En la figura te sugerimos algunos colores que quedan bien.

5. Coloca tu **vitreaux** sobre la ventana y observa cómo pasa la luz a través de él. Si te agrada cómo quedó, continúa con tus propias creaciones.

Visión

El funcionamiento del ojo

Luego de haber experimentado con el color, es hora de que conozcas cómo funciona el ojo humano. También descubrirás algunas cosas acerca de divertidos juegos ópticos y más acerca de las ilusiones ópticas.

Cómo vemos

Hay un simple aparato que puede construirse fácilmente y que te ayudará a entender algunos aspectos del funcionamiento del ojo. Quienes lo inventaron, lo llamaron **cámara oscura**. Algunas de estas cámaras tuvieron el tamaño de una habitación.

Qué necesitas

Lata cilíndrica como las de jugos, limpia y seca

Papel de calcar

Cartulina negra

Cinta adhesiva

Clavo pequeño

Qué hacer

1. Enrolla la cartulina en forma de un cono de unos 25 a 30 cm de largo, de modo que la base del cono calce en la boca de la lata y la parte angosta del cono tenga un agujero como para colocar tu ojo (fíjate en la figura). Asegura el cono con cinta adhesiva para que no se desenrolle.

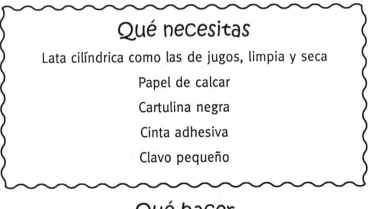

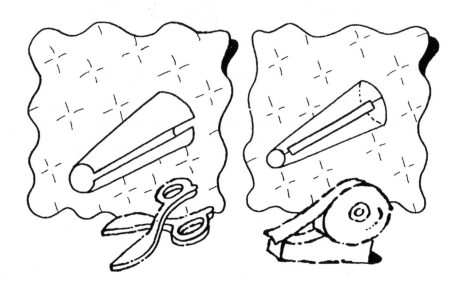

2. Recorta un círculo de papel de calcar de un diámetro de 1 cm mayor que la boca de la lata y pégalo con cinta al extremo ancho del cono.

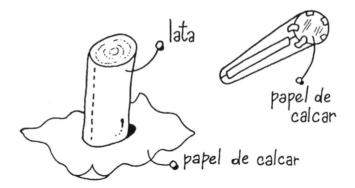

3. Abre con el clavo un agujero pequeño en el centro del fondo de la lata. ¡Cuidado! No te lastimes los dedos.

4. Coloca el cono en la boca de la lata y, mirando por la otra punta del cono, enfoca el conjunto hacia alguna fuente de luz o hacia alguna escena bien iluminada por el sol.

QUÉ SUCEDE

¿Ves la imagen proyectada sobre el papel de calcar? Está al revés, ¿verdad?

Si la imagen no está clara, desliza el cono más hacia adentro o más hacia el borde de la lata hasta obtener la mejor imagen. Puede ser que esta sea borrosa si el agujero del fondo de la lata es demasiado grande. Arregla esto pegando un trozo de cartulina negra sobre el agujero y haciendo un agujero más pequeño que el anterior sobre la cartulina.

¿Y por qué vemos la imagen al revés? Fíjate en la figura:

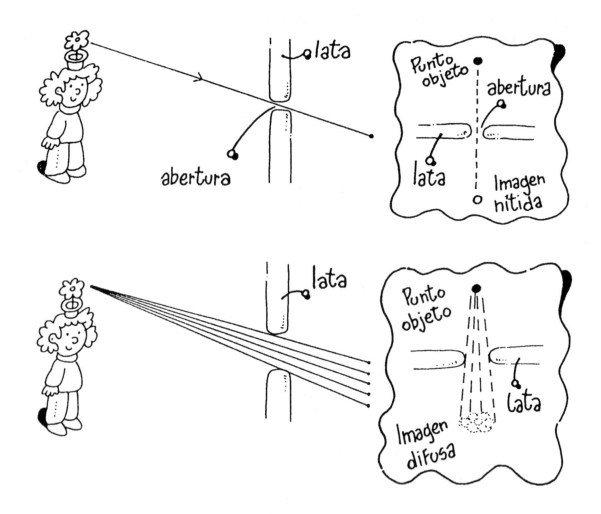

La luz que sale del pie de la niña y pasa por el orificio llega, viajando en línea recta, a la parte de arriba del papel de calcar. La luz que sale del rostro y que pasa por el orificio, llega a la parte de abajo del papel de calcar.

Así, de toda la luz que la niña refleja, la parte que pasa por el pequeño, orificio del fondo de la lata "arma" sobre el papel una imagen invertida de él.

Fíjate, comparando ambas figuras de la niña, que, como cada punto del objeto (por ejemplo, la parte superior de la flor) tiene una imagen del tamaño del diámetro del orificio, si este es pequeño, la imagen será nítida, mientras que si el orificio es muy grande, la imagen será borrosa.

Por otra parte, si hacemos que el orificio sea muy pequeño pasará tan poca luz que no alcanzaremos a ver nada. Así que lo mejor será que experimentes y veas por ti mismo cómo te parece que tu "cámara oscura" funciona mejor.

Para saber más
Similitudes y diferencias entre la cámara oscura y tu ojo

Por supuesto, la primera diferencia, y la más importante, es que tu ojo funciona mucho mejor, pero fíjate en la siguiente figura y encontrarás que hay algunas similitudes.

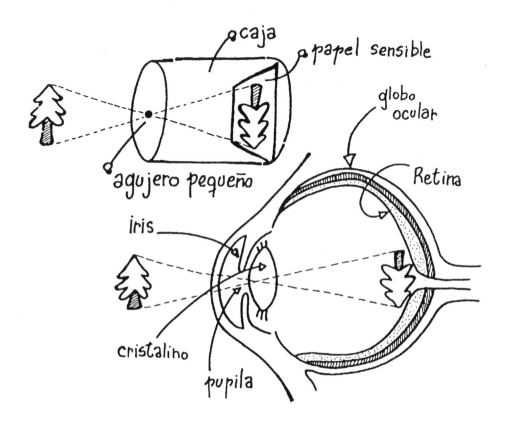

Como puedes notar, hay en tu ojo una ventana circular pequeña (que se ve de color negro) por la cual entra la luz. Es la **pupila**, pero detrás de ella hay una lente convergente llamada **cristalino** que ayuda a que se forme una buena imagen, aunque la "ventana" de la pupila no sea tan pequeña. El cristalino no es duro como una lupa de vidrio, sino que es blando y flexible, y tiene a su alrededor músculos especiales que lo estiran modificando su curvatura de tal manera que siempre se forme sobre el fondo del ojo la mejor imagen posible.

Sobre ese fondo del ojo está la **retina**. Esta tiene los receptores y las terminaciones de los nervios que llevan al cerebro la información sobre lo que tus ojos reciben.

Tu ojo también tiene la capacidad de cambiar el tamaño de su pupila. Alrededor de la pupila está el **iris**, la parte coloreada del ojo. Cuando hay poca luz, el iris se abre y el diámetro de la pupila aumenta; y cuando hay mucha luz, el iris se cierra y el diámetro de la pupila disminuye.

Cambio de tamaño

Observa cómo suceden los cambios de diámetro en tus pupilas sin que tú lo tengas que pensar.

Qué necesitas

Espejo

Luz cerca de él

Qué hacer

1. Colócate frente al espejo iluminado y apaga la luz.

2. Con los ojos abiertos, cuenta muy lentamente hasta 30, mientras dejas que tus ojos se acostumbren a la oscuridad.

3. Vuelve a encender la luz mientras miras tus ojos en el espejo.

4. Verás en el espejo cómo las pupilas de tus ojos, muy grandes al encender la luz, disminuyen rápidamente de tamaño.

Para saber más

Los engaños de la luz

¿Cómo puede engañarnos la luz? Seguramente has escuchado hablar de las **ilusiones ópticas**. Hay muchos tipos y es divertido jugar con ellas, pero es mucho más interesante saber cómo y por qué funcionan estas ilusiones.

¿Cómo ocurren las ilusiones ópticas?

Mientras estamos despiertos, nuestro cerebro recibe una desconcertante explosión de mensajes completamente desordenados. A través de nuestros ojos, oídos, nariz y piel llegan a él imágenes, impresiones, ruidos, olores y sensaciones a una velocidad tal que, si nuestro cerebro no interpretara y organizara la información, quedaría paralizado por la avalancha de datos.

Con un mecanismo inconsciente, el cerebro selecciona sólo una pequeña parte de la información y la codifica sobre la base de esquemas que le resultan familiares.
El cerebro se entrena a sí mismo para tomar decisiones rápidas a partir de pocos datos.
Esto es de importancia vital para nosotros. Imagínate cómo serían las cosas si esto no sucediera.
Si para tomar una curva andando en una bicicleta tuviéramos que tener en cuenta toda la información disponible, nos confundiríamos tanto que quizá decidiríamos quedarnos quietos. Tú sabes que tus ojos ven todas las irregularidades del camino y todos los obstáculos de sus costados; sin embargo, tu cerebro sólo toma en cuenta las circunstancias que ha seleccionado como importantes.
Pero ocurre que ese mismo sistema de seleccionar, relacionar, simplificar y acomodar la información dentro de esquemas conocidos puede, a veces, engañarnos.

Dos ojos para un cerebro

A continuación, observa el magnífico efecto de ver tu mano agujereada.

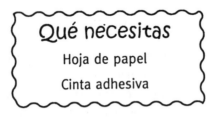

Qué necesitas

Hoja de papel

Cinta adhesiva

Qué hacer

1. Enrolla la hoja a lo largo de manera que forme un tubo de unos 5 cm de diámetro. Fíjalo con cinta.

2. Con los dos ojos abiertos, mira a través del tubo con tu ojo derecho mientras colocas la mano izquierda abierta frente a tu ojo izquierdo.

3. Mueve tu mano izquierda hacia adelante y hacia atrás, sin olvidarte de mantener los dos ojos abiertos, hasta que ese "agujero" que ves flotando en el aire delante tuyo pase a través de la palma de tu mano.

¿QUÉ SUCEDE?

Lo que ocurre se debe a que cada ojo envía una imagen al cerebro, que las combina para interpretarlas. Los siguientes "desafíos" están relacionados con ese efecto.

Desafío 1: la influencia del entorno

El siguiente es uno de los ejemplos más conocidos de ilusión óptica. Sin embargo, es muy interesante comprender bien por qué funciona.

Mira la figura y observa si el personaje que está en primer plano es más alto, más bajo o de la misma estatura que el que está en el fondo.

Ahora toma una regla y comprueba que los dos tienen la misma altura.

A todos nos sucede que nos parece más alto el personaje del fondo de la figura. ¿A ti también te ocurrió?

Esta ilusión funciona debido a que nuestro cerebro sabe cuál es el tamaño normal de muchas cosas, como las personas, por ejemplo. Entonces, cuando nuestros ojos ven una imagen pequeña de una persona, nuestro cerebro no piensa que es realmente pequeña sino que se ve pequeña porque está lejos.

Nuestro cerebro compara además la imagen de la persona con las cosas que ve cerca de ella, como árboles, automóviles, edificios, y entonces, aunque "vea" una personita chiquita, la "entiende" como una persona normal y la "agranda" al tamaño que debe tener. Eso sucede con el personaje del fondo de la figura.

En cambio, con el personaje que está en primer plano este mecanismo no funciona. El dibujo muestra claramente que no está lejos de modo que no hay más solución que decidir que "es" realmente pequeño.

Este mecanismo hace que el entorno (lo que está cerca o alrededor) convenza al cerebro de que el personaje del primer plano es más pequeño que el del fondo, aunque en realidad los dos son dibujos idénticos.

Desafío 2: la influencia de la experiencia

¿Dónde está la porción de torta?

La encontrarás fácilmente si das vuelta el libro de manera que el dibujo quede boca abajo.

La figura es la misma, ya sea que el libro esté boca arriba o boca abajo, pero como nuestro cerebro no está acostumbrado a ver platos boca abajo con porciones de torta pegadas a ellos y sin caerse, prefiere interpretar la primera figura como una torta a la que le falta una porción.

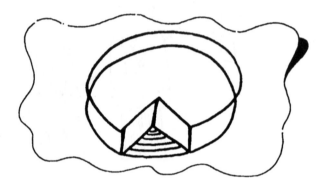

Las distintas velocidades del ojo

Con la siguiente experiencia podrás comprobar cómo lo que pensabas que era un cuadrado, en realidad no lo era del todo.

Qué necesitas

Lápiz

Hoja grande y lisa en blanco

Qué hacer

1. Dibuja un cuadrado grande sobre la hoja, pero sin usar reglas ni escuadras, simplemente tu mano.

2. Gira la hoja un cuarto de vuelta. ¿No te parece que ahora el cuadrado es demasiado alto?

3. Coloca la hoja en la posición original y mide el ancho y el alto del cuadrado. Seguramente encontrarás que el "cuadrado" es un rectángulo más ancho que alto.

QUÉ SUCEDE

Nuestros ojos se mueven más velozmente hacia los costados que en dirección vertical; por eso, cuando queremos dibujar un cuadrado, lo que hacemos es una figura que le tome a nuestros ojos el mismo tiempo para recorrerla en dirección vertical que en dirección horizontal. Naturalmente, como en el mismo tiempo nuestros ojos recorren una distancia menor en dirección vertical que en dirección horizontal, nos queda en lugar de un cuadrado, un rectángulo levemente achatado.

Dibujos móviles

Disfrutemos con la siguiente actividad y analicemos luego cuál es la causa de los efectos que observamos.

Qué necesitas

Cartulina o papel blanco

Papel de calcar

Regla

Tijera

Lápices

Cinta adhesiva

Qué hacer

1. Recorta dos hojas de cartulina de 5 x 7 cm.

2. Calca y pinta el diseño de la figura.

 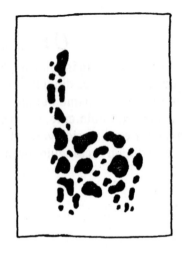

3. Coloca ambos dibujos enfrentados sobre el lápiz y asegúralos con cinta adhesiva, como indica la figura.

4. Frota tus manos hacia adelante y hacia atrás haciendo rodar el lápiz.

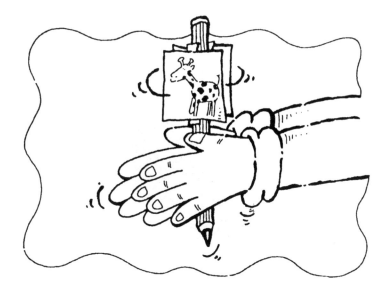

¿ QUÉ SUCEDE ?

La jirafa recupera sus manchas. ¿Te animas a hacer tus propios diseños? ¿Qué te parece probar con un payaso que perdió su sonrisa o con unos ojos que estrenan anteojos?

Trompos

Disfruta a continuación de uno de los tantos juegos ópticos que existen

Qué necesitas

Elementos del experimento anterior

Microfibra negra

Lápiz corto, de unos 5 ó 6 cm de largo

Qué hacer

1. Calca la figura sobre cartulina.

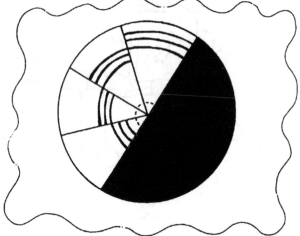

2. Remarca y rellena cuidadosamente la parte negra con la microfibra.

3. Si la cartulina tiende a doblarse, refuérzala pegándola sobre cartón.

4. Perfora el centro y pasa el lápiz de modo que quede el trompo formado.

5. Hazlo girar y obsérvalo desde arriba. ¿Te gusta la sensación de movimiento que se produce?

QUÉ SUCEDE

¿ Estos y otros juegos ópticos tienen su explicación en la llamada **retención de imágenes**. Cuando vemos algo que luego desaparece, por ejemplo, si disparamos el flash de una cámara fotográfica en una habitación oscura, la imagen de la habitación permanece en nuestra percepción durante la décima parte de un segundo, aunque el relámpago de luz que nos permitió ver haya tenido una duración mucho menor. ?

Si las imágenes que se nos presentan cambian muy rápido, el cerebro "funde" cada imagen con la siguiente porque esta se percibe antes de que se haya desvanecido la anterior. De esta manera, nuestro cerebro puede ver movimiento donde sólo hay una sucesión de dibujos o fotos.

Esto es, por supuesto, lo que hace posible el cine y la televisión.

Para saber más

El cine y la televisión

En el cine, se proyectan sobre la pantalla 24 imágenes por segundo. Las fotografías están dispuestas en una tira y son llevadas una por una frente al sistema de proyección.

En la televisión, un fino rayo de electrones impacta contra la parte de atrás de la pantalla, que está preparada para brillar cuando esto sucede. El rayo va barriendo la pantalla en rayas horizontales, pero lo hace tan rápido que tenemos la ilusión de que toda la pantalla está iluminada cuando, en realidad, en cada momento sólo brilla el puntito donde impacta el rayo de electrones.

Antes de que desaparezca de nuestro cerebro la imagen de esa pantalla, el rayo empieza y termina de iluminar otra pantalla creando así la ilusión de continuidad y movimiento.

Índice